26	881	936	991	1046	1101	1156	1211	1266	1321	1376	1431	1486
27	882	937	992	1047	1102	1157	1212	1267	1322	1377	1432	1487
28	883	938	993	1048	1103	1158	1213	1268	1323	1378	1433	1488
29	884	939	994	1049	1104	1159	1214	1269	1324	1379	1434	1489
30	885	940	995	1050	1105	1160	1215	1270	1325	1380	1435	1490
31	886	941	996	1051	1106	1161	1216	1271	1326	1381	1436	1491
32	887	942	997	1052	1107	1162	1217	1272	1327	1382	1437	1492
33	888	943	998	1053	1108	1163	1218	1273	1328	1383	1438	1493
34	889	944	999	1054	1109	1164	1219	1274	1329	1384	1439	1494
35	890	945	1000	1055	1110	1165	1220	1275	1330	1385	1440	1495
36	891	946	1001	1056	1111	1166	1221	1276	1331	1386	1441	1496
37	892	947	1002	1057	1112	1167	1222	1277	1332	1387	1442	1497
38	893	948	1003	1058	1113	1168	1223	1278	1333	1388	1443	1498
39	894	949	1004	1059	1114	1169	1224	1279	1334	1389	1444	1499
40	895	950	1005	1060	1115	1170	1225	1280	1335	1390	1445	1500
41	896	951	1006	1061	1116	1171	1226	1281	1336	1391	1446	1501
42	897	952	1007	1062	1117	1172	1227	1282	1337	1392	1447	1502
43	898	953	1008	1063	1118	1173	1228	1283	1338	1393	1448	1503
44	899	954	1009	1064	1119	1174	1229	1284	1339	1394	1449	1504
45	900	955	1010	1065	1120	1175	1230	1285	1340	1395	1450	1505
46	901	956	1011	1066	1121	1176	1231	1286	1341	1396	1451	1506
47	902	957	1012	1067	1122	1177	1232	1287	1342	1397	1452	1507
48	903	958	1013	1068	1123	1178	1233	1288	1343	1398	1453	1508
49	904	959	1014	1069	1124	1179	1234	1289	1344	1399	1454	1509
50	905	960	1015	1070	1125	1180	1235	1290	1345	1400	1455	1510
51	906	961	1016	1071	1126	1181	1236	1291	1346	1401	1456	1511
52	907	962	1017	1072	1127	1182	1237	1292	1347	1402	1457	1512
53	908	963	1018	1073	1128	1183	1238	1293	1348	1403	1458	1513
54	909	964	1019	1074	1129	1184	1239	1294	1349	1404	1459	1514
55	910	965	1020	1075	1130	1185	1240	1295	1350	1405	1460	1515
56	911	966	1021	1076	1131	1186	1241	1296	1351	1406	1461	1516
57	912	967	1022	1077	1132	1187	1242	1297	1352	1407	1462	1517
58	913	968	1023	1078	1133	1188	1243	1298	1353	1408	1463	1518
59	914	969	1024	1079	1134	1189	1244	1299	1354	1409	1464	1519
60	915	970	1025	1080	1135	1190	1245	1300	1355	1410	1465	1520
61	916	971	1026	1081	1136	1191	1246	1301	1356	1411	1466	1521
62	917	972	1027	1082	1137	1192	1247	1302	1357	1412	1467	1522
63	918	973	1028	1083	1138	1193	1248	1303	1358	1413	1468	1523
64	919	974	1029	1084	1139	1194	1249	1304	1359	1414	1469	1524
65	920	975	1030	1085	1140	1195	1250	1305	1360	1415	1470	1525
66	921	976	1031	1086	1141	1196	1251	1306	1361	1416	1471	1526
67	922	977	1032	1087	1142	1197	1252	1307	1362	1417	1472	1527
68	923	978	1033	1088	1143	1198	1253	1308	1363	1418	1473	1528
69	924	979	1034	1089	1144	1199	1254	1309	1364	1419	1474	1529
70	925	980	1035	1090	1145	1200	1255	1310	1365	1420	1475	1530
71	926	981	1036	1091	1146	1201	1256	1311	1366	1421	1476	1531
72	927	982	1037	1092	1147	1202	1257	1312	1367	1422	1477	1532
73	928	983	1038	1093	1148	1203	1258	1313	1368	1423	1478	1533
74	929	984	1039	1094	1149	1204	1259	1314	1369	1424	1479	1534
75	930	985	1040	1095	1150	1205	1260	1315	1370	1425	1480	1535
76	931	986	1041	1096	1151	1206	1261	1316	1371	1426	1481	1536
77	932	987	1042	1097	1152	1207	1262	1317	1372	1427	1482	1537
78	933	988	1043	1098	1153	1208	1263	1318	1373	1428	1483	1538
79	934	989	1044	1099	1154	1209	1264	1319	1374	1429	1484	1539
80	935	990	1045	1100	1155	1210	1265	1320	1375	1430	1485	1540

© 2004, Editorial Corimbo por la edición en español
Av. Pla del Vent 56, 08970 sant Joan Despí (Barcelona)
e-mail: corimbo@corimbo.es
www.corimbo.es
Traducción al español de Rafael Ros
Traducción al inglés y adaptación: Esther Sarfatti
1ª edición en bilingüe, julio 2007
© 1999, l'école des loisirs, París
Título de la edición original: «Maman!»
Impreso en Italia por Grafiche AZ, Verona
ISBN: 978-84-8470-259-7

Mario Ramos

Mommy!
¡Mamá!

Mommy!
¡Mamá!

Mommy!
¡Mamá!

Mommy!
¡Mamá!

Mommy!
¡ Mamá !

Mommy!
¡ Mamá !

Mommy!
¡ Mamá !

Mommy!
¡Mamá!

Mommy!
¡Mamá!

Mommy!
¡ Mamá !

Mommy!
There's a spider in my room.

¡Mamá!
Hay una araña en mi habitación.

1	One hippopotamus Un hipopótamo
2	Two lions Dos leones
3	Three giraffes Tres jirafas
4	Four crocodiles Cuatro cocodrilos
5	Five elephants Cinco elefantes

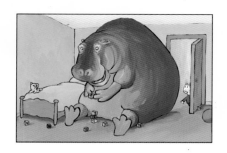

6

Six pink flamingos
Seis flamencos rosas

7

Seven bears
Siete osos

8

Eight pigs
Ocho cerdos

9

Nine monkeys
Nueve monos

10

Ten mice
Diez ratones

1541	1596	1651	1706	1761	1816	1871	1926	1981	2036	2091	2146	220
1542	1597	1652	1707	1762	1817	1872	1927	1982	2037	2092	2147	220
1543	1598	1653	1708	1763	1818	1873	1928	1983	2038	2093	2148	220
1544	1599	1654	1709	1764	1819	1874	1929	1984	2039	2094	2149	220
1545	1600	1655	1710	1765	1820	1875	1930	1985	2040	2095	2150	220
1546	1601	1656	1711	1766	1821	1876	1931	1986	2041	2096	2151	220
1547	1602	1657	1712	1767	1822	1877	1932	1987	2042	2097	2152	220
1548	1603	1658	1713	1768	1823	1878	1933	1988	2043	2098	2153	220
1549	1604	1659	1714	1769	1824	1879	1934	1989	2044	2099	2154	220
1550	1605	1660	1715	1770	1825	1880	1935	1990	2045	2100	2155	221
1551	1606	1661	1716	1771	1826	1881	1936	1991	2046	2101	2156	221
1552	1607	1662	1717	1772	1827	1882	1937	1992	2047	2102	2157	221
1553	1608	1663	1718	1773	1828	1883	1938	1993	2048	2103	2158	221
1554	1609	1664	1719	1774	1829	1884	1939	1994	2049	2104	2159	221
1555	1610	1665	1720	1775	1830	1885	1940	1995	2050	2105	2160	221
1556	1611	1666	1721	1776	1831	1886	1941	1996	2051	2106	2161	221
1557	1612	1667	1722	1777	1832	1887	1942	1997	2052	2107	2162	221
1558	1613	1668	1723	1778	1833	1888	1943	1998	2053	2108	2163	221
1559	1614	1669	1724	1779	1834	1889	1944	1999	2054	2109	2164	221
1560	1615	1670	1725	1780	1835	1890	1945	2000	2055	2110	2165	222
1561	1616	1671	1726	1781	1836	1891	1946	2001	2056	2111	2166	222
1562	1617	1672	1727	1782	1837	1892	1947	2002	2057	2112	2167	222
1563	1618	1673	1728	1783	1838	1893	1948	2003	2058	2113	2168	222
1564	1619	1674	1729	1784	1839	1894	1949	2004	2059	2114	2169	222
1565	1620	1675	1730	1785	1840	1895	1950	2005	2060	2115	2170	222
1566	1621	1676	1731	1786	1841	1896	1951	2006	2061	2116	2171	222
1567	1622	1677	1732	1787	1842	1897	1952	2007	2062	2117	2172	222
1568	1623	1678	1733	1788	1843	1898	1953	2008	2063	2118	2173	222
1569	1624	1679	1734	1789	1844	1899	1954	2009	2064	2119	2174	222
1570	1625	1680	1735	1790	1845	1900	1955	2010	2065	2120	2175	223
1571	1626	1681	1736	1791	1846	1901	1956	2011	2066	2121	2176	223
1572	1627	1682	1737	1792	1847	1902	1957	2012	2067	2122	2177	223
1573	1628	1683	1738	1793	1848	1903	1958	2013	2068	2123	2178	223
1574	1629	1684	1739	1794	1849	1904	1959	2014	2069	2124	2179	223
1575	1630	1685	1740	1795	1850	1905	1960	2015	2070	2125	2180	223
1576	1631	1686	1741	1796	1851	1906	1961	2016	2071	2126	2181	223
1577	1632	1687	1742	1797	1852	1907	1962	2017	2072	2127	2182	223
1578	1633	1688	1743	1798	1853	1908	1963	2018	2073	2128	2183	223
1579	1634	1689	1744	1799	1854	1909	1964	2019	2074	2129	2184	223
1580	1635	1690	1745	1800	1855	1910	1965	2020	2075	2130	2185	224
1581	1636	1691	1746	1801	1856	1911	1966	2021	2076	2131	2186	224
1582	1637	1692	1747	1802	1857	1912	1967	2022	2077	2132	2187	224
1583	1638	1693	1748	1803	1858	1913	1968	2023	2078	2133	2188	224
1584	1639	1694	1749	1804	1859	1914	1969	2024	2079	2134	2189	224
1585	1640	1695	1750	1805	1860	1915	1970	2025	2080	2135	2190	224
1586	1641	1696	1751	1806	1861	1916	1971	2026	2081	2136	2191	224
1587	1642	1697	1752	1807	1862	1917	1972	2027	2082	2137	2192	224
1588	1643	1698	1753	1808	1863	1918	1973	2028	2083	2138	2193	224
1589	1644	1699	1754	1809	1864	1919	1974	2029	2084	2139	2194	224
1590	1645	1700	1755	1810	1865	1920	1975	2030	2085	2140	2195	225
1591	1646	1701	1756	1811	1866	1921	1976	2031	2086	2141	2196	225
1592	1647	1702	1757	1812	1867	1922	1977	2032	2087	2142	2197	225
1593	1648	1703	1758	1813	1868	1923	1978	2033	2088	2143	2198	225
1594	1649	1704	1759	1814	1869	1924	1979	2034	2089	2144	2199	225
1595	1650	1705	1760	1815	1870	1925	1980	2035	2090	2145	2200	225